Énigmes
mathématiques
diaboliques

65 énigmes pour faire travailler sa tête !

Sylvain Lhullier
Illustrations d'Ivan Sigg

MARABOUT

À ma fille Émeline.
S. L.

Sommaire

Introduction

Vous êtes un accroc du Sudoku ? Les chiffres ne vous font pas peur et vous aimez les manipuler, les bidouiller ou les triturer pour les faire parler ? Les défis vous excitent ? Ce livre est fait pour vous !

Attelez-vous sans tarder à la résolution de ces 65 énigmes. Les réponses sont toutes consignées en fin d'ouvrage, un renvoi de page vous indiquant systématiquement où vous référer. Mais ne cédez pas trop vite à la tentation de connaître la bonne réponse ! Le plaisir est dans le tâtonnement, l'élaboration du raisonnement, la construction de la démonstration ou le surgissement de la bonne intuition. Attention, vous aurez peut-être tendance à ajouter spontanément des contraintes qui ne sont pas présentes dans l'énoncé des énigmes : remettez tout en cause, même vos pressentiments !

Pour vous aider à sortir des ornières les plus courantes, des indices vous sont parfois proposés sous la forme d'encadrés.

Voilà de quoi huiler vos méninges !

1. Tranches de cake

Comment couper un cake en huit morceaux en donnant uniquement trois coups de couteau ?

2. Le triangle de Curry

Observez les deux figures ci-dessous :

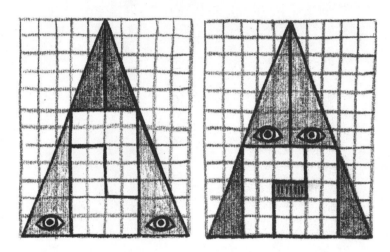

Les parties de la première figure ont été regroupées différemment pour former la seconde. La seule différence est qu'il faut ajouter à cette dernière deux petits carrés... Comment expliquer la présence de ce rectangle strié ?

Indice 1

Certains points, qui semblent alignés, ne le sont pas en réalité.

Indice 2

Les deux figures ne sont pas des triangles.

Solution p. 75

3. *Le carré et l'anneau*

Voici un carré de verre de 24 cm de côté et un anneau de 5 cm de diamètre :

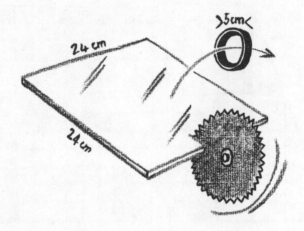

Découpez le carré en quatre morceaux égaux de façon qu'ils puissent passer dans l'anneau sans se briser.
(La scie dont vous disposez vous permet de découper en tournant).

Solution p. 76

4. Le carré en allumettes

Quatre allumettes sont disposées en croix :

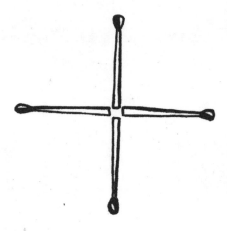

Comment obtenir un carré en ne bougeant qu'une seule allumette ?

> **Indice**
> *Le mot « carré » a plusieurs sens.*

5. Les triangles en allumettes

Comment créer quatre triangles équilatéraux avec six allumettes ?

De même, comment créer huit triangles équilatéraux avec six allumettes ?

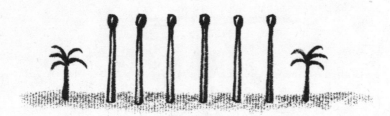

6. La fourche

Voici une fourche formée de quatre allumettes et contenant des billes :

En déplaçant deux allumettes, la fourche a exactement la même forme, mais les billes se retrouvent à l'extérieur. Quelles allumettes faut-il déplacer pour cela ?

Solution p. 79   ☆☆☆☆☆

7. Le sage et la montagne

Un sage entreprend de gravir une montagne. Pour cela, il part le matin à 9 h et arrive au sommet à 12 h. Il se repose une nuit dans le refuge et repart le lendemain à 9 h. Empruntant le même chemin à l'envers, il est en bas à 11 h.
Existe-t-il un endroit sur le chemin où il est passé à la même heure les deux jours ? Comment prouver l'existence ou l'inexistence d'un tel endroit ?

Solution p. 80

8. Les neuf points

Prenons une grille de neuf points comme celle-ci :

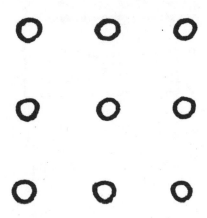

Comment relier ces neuf points en traçant quatre segments de droite sans lever la main ?

Solution p. 81

9. Petit rectangle deviendra carré

On dispose d'une feuille rectangulaire dont la longueur (L = 2) est le double de la largeur (l = 1).

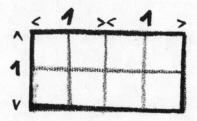

(Sur le schéma, l'échelle est de 0,5.)

Comment peut-on découper cette feuille de façon à reconstituer un carré de même surface avec les morceaux ?

10. Long rectangle deviendra carré

On dispose d'une feuille rectangulaire dont la largeur mesure 1 et la longueur 5.

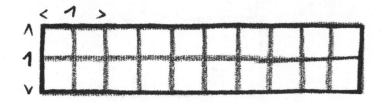

(Sur le schéma, l'échelle est de 0,5.)

Comment peut-on découper cette feuille de façon à reconstituer un carré de même surface avec les morceaux ?

Solution p. 83

11. Découpons la moquette

Une pièce mesure 12 m sur 9 m. En son milieu figure un mur de 8 m de long pour 1 m d'épaisseur. Cette pièce dispose donc d'une surface habitable de 100 m² (12×9 − 8×1 = 100). Elle est représentée sur la figure ci-dessous :

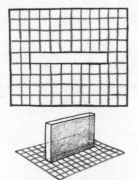

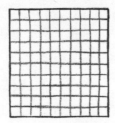

Vous disposez d'un morceau de moquette de 10 m sur 10 m :

Comment couvrir la pièce avec la moquette en la découpant en deux morceaux égaux et superposables ?

Solution p. 84

☆ ☆ ☆ ☆ ☆

12. L'île et le pont

Une île carrée est entourée d'une rivière de 4 m de largeur.

On possède deux planches de 3,90 m de long et de quelques centimètres de large. Comment doit-on les disposer pour obtenir un pont stable ?

Solution p. 85

13. Cerf-volant

Soit un ensemble de huit cases disposées de la manière suivante :

On doit placer chacun des chiffres de 1 à 8 de façon qu'aucun ne soit en contact ni par un côté ni par une diagonale avec le chiffre qui le précède ou celui qui le suit.

> **Indice**
> *Deux chiffres ont une caractéristique différente des six autres.*

14. Triangle à trous

Complétez ce triangle de manière que le nombre inscrit dans chaque case soit égal à la somme des deux nombres inscrits dans les deux cases juste en dessous de celle-ci.

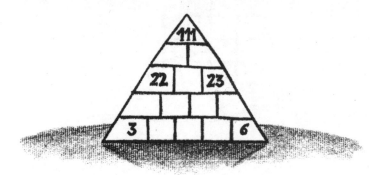

15. Combien de carrés?

Combien y a-t-il, au total, de carrés dans la figure ci-dessous ?

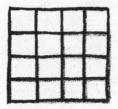

☆☆☆☆☆

16. Huit reines

Comment disposer huit reines sur un échiquier de façon qu'aucune d'entre elles ne soit « mise en échec » par une autre ?

	A	B	C	D	E	F	G	H
8								
7								
6								
5								
4								
3								
2								
1								

Solution p. 89

17. Trouvez la suite

Voici une suite de lignes de chiffres :
1
11
21
1211
111221
312211

Trouvez la suite !

Solution p. 90

☆ ☆ ☆ ☆ ☆

18. Pas de 4 dans la suite

Pour ceux qui ont trouvé la solution du problème précédent (et pour ceux qui ont été la lire !), voici une autre question concernant cette suite : montrez que le chiffre 4 ne peut jamais apparaître.

19. La traversée du pont

Quatre personnes doivent traverser un pont en 17 minutes.
Chacune d'entre elles marche à une vitesse maximale donnée.
Appelons A la personne qui peut traverser le pont en 1 minute,
B celle qui le traverse en 2 minutes, C celle qui le fait en
5 minutes et D celle qui le traverse en 10 minutes.
Ces quatre personnes ne disposent que d'une seule torche et il
est impossible de traverser le pont sans torche. Le pont ne peut
supporter que le poids de deux personnes.
Dans quel ordre doivent traverser ces quatre personnes ?

20. *Les onze allumettes*

Nadine et Paul jouent. Sur une table, onze allumettes sont posées. À chaque fois que c'est leur tour de jouer, ils ont le droit de prendre une, deux ou trois allumettes. Celui qui ramasse la dernière allumette perd. Sachant qu'elle commence, combien d'allumettes doit prendre Nadine pour gagner à coup sûr ?

21. L'escargot grimpeur

Un escargot veut grimper au sommet d'un mur de 10 m de haut. Mais il se déplace d'une façon très particulière : pendant la journée, il monte 3 m et, durant la nuit, il redescend de 2 m. S'il commence son ascension un matin, combien de jours lui faudra-t-il pour accéder au sommet de ce mur ?

> **Indice**
> *10 jours n'est pas la bonne réponse.*

☆☆☆☆☆

22. $1 = 2$?

Posons $a = 1$, $b = 1$

$a = b$ (1) Évident !

$a \times a = a \times b$ (2) On multiplie par a les deux membres.

$a \times a - b \times b = a \times b - b \times b$ (3) On retranche $b \times b$ aux deux membres.

$a \times a + a \times b - a \times b - b \times b = b \times (a - b)$ (4) On ajoute $0 = a \times b - a \times b$ à gauche ; on met b en facteur à droite.

$a \times (a + b) - b \times (a + b) = b \times (a - b)$ (5) On effectue deux mises en facteur (par a et b) à gauche.

$(a + b) \times (a - b) = b \times (a - b)$ (6) On met en facteur $a + b$ à gauche.

$a + b = b$ (7) On simplifie.

$2 = 1$ (8) Et on crie à l'arnaque... Oui, mais où ?

Solution p. 95

☆☆☆☆☆

23. Deux écritures pour un même nombre?

Posons a = 0,99999999999999... (à l'infini).
Remarque : un nombre à la décimale infinie, cela existe : pensez au célèbre π, $\sqrt{2}$.
Prenons alors a, le nombre qui a pour partie entière 0 et pour partie décimale une suite infinie de 9.

a = 0,99999999999999...   (1) Par définition.

10 × a = 9,99999999999999...   (2) On multiplie par 10.

10 × a = 9 + 0,99999999999999...   (3) On sépare les parties entière et décimale du membre de droite.

10 × a = 9 + a   (4) Par définition.

10 × a − a = 9   (5) On retranche a aux deux membres.

9 × a = 9   (6) On utilise le fait que 10 − 1 = 9.

a = 1   (7) On divise par 9 les deux membres.

Question : est-il vrai que 1 = 0,99999999999999... ?

Solution p. 96

24. Tout nombre réel est-il positif?

Je vous rappelle que $\mathbb{R}$ est l'ensemble des nombres réels (positifs ou négatifs) que l'on pourrait appeler communément nombres à virgule.
$\mathbb{R} =] - $ infini, $+$ infini $[$

Pour tout x dans $\mathbb{R}$	$x^2 \geqslant 0$	(1) Résultat bien connu.
Pour tout x dans $\mathbb{R}$	$(x^2)^{1/2} \geqslant (0)^{1/2}$	(2) Mise à la puissance 1/2 des deux membres.
Pour tout x dans $\mathbb{R}$	$x^{(2 \times 1/2)} \geqslant 0$	(3) Utilisation de la propriété : $(x^n)^m = x^{n \times m}$
Pour tout x dans $\mathbb{R}$	$x^1 \geqslant 0$	(4) Calcul tout bête : $2 \times 1/2 = 1$.
Pour tout x dans $\mathbb{R}$	$x \geqslant 0$	(5) Sympathique, encore une fois...

Solution p. 97

25. Un peu de calcul mental

On peut compléter des lignes comportant quatre « 1 » de plusieurs façons :

1 1 1 1 = 3
1 1 1 1 = 4

avec des opérateurs de calcul afin de rendre les égalités justes :

$1 + 1 + (1 \times 1) = 3$
$(1 + 1) \times (1 + 1) = 4$

À chaque fois, plusieurs possibilités peuvent exister.
Mais avec des 1, on ne peut pas obtenir beaucoup de nombres.

Dans le tableau de la page suivante, comment, en utilisant exactement quatre fois chaque chiffre de la première colonne et en insérant entre eux trois signes arithmétiques + − × ÷, peut-on obtenir chacun des nombres de la seconde colonne ?

☆ ☆ ☆ ☆ ☆

x	Nombres
2	0, 1, 2, 3, 4, 5, 6, 10, 12
3	3, 4, 5, 6, 7, 8, 9, 10
4	3, 6, 7, 8, 24, 28, 32, 48
5	3, 5, 6, 26, 30, 50, 55, 120
6	5, 6, 8, 24, 30, 48, 66, 180
7	3, 8, 13, 15, 48, 49, 56, 105
8	10, 15, 56, 65, 80, 120, 192, 520
9	7, 9, 10, 19, 80, 81, 90, 720

Solution p. 98-99

☆☆☆☆☆

26. Somme de 1 à 100

Calculez la somme des cent premiers nombres entiers :
1 + 2 + 3 + ... + 99 + 100 = ?

27. Valeur du produit

Quelle est la valeur du produit suivant :
$(x - a)(x - b)(x - c)(x - d)....(x - y)(x - z)$?
Il y a en tout 26 parenthèses, et a, b... z sont des nombres
quelconques (réels ou complexes).

Solution p. 101

28. Équation en chiffres romains (1)

L'équation suivante n'est pas vérifiée :

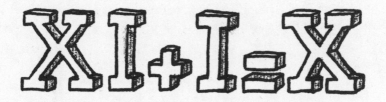

Que faut-il faire pour que, sans être modifiée, cette équation soit juste ?

☆☆☆☆☆

29. Équation en chiffres romains (2)

L'équation suivante n'est pas vérifiée :

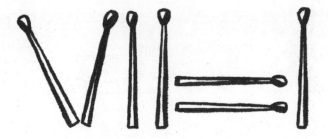

Que faut-il faire pour que, en déplaçant seulement une barre, cette équation soit juste ?

30. Équation en chiffres arabes

L'équation suivante n'est pas vérifiée : 5 + 5 + 5 = 550

Que faut-il faire pour que, en ajoutant seulement une barre, cette équation soit juste ?
(Autrement qu'en barrant le = pour qu'il devienne « différent ».)

31. *Drôle d'égalité*

À quelle époque de l'humanité cette égalité a-t-elle été vérifiée ?

$$31_{OCT} = 25_{DEC}$$

Solution p. 105

☆☆☆☆☆

32. Faire 24 avec 5, 5, 5 et 1

Comment obtenir 24 en utilisant une fois et une seule
les nombres 5, 5, 5 et 1 ?
Les seules opérations autorisées sont l'addition, la soustraction,
la multiplication et la division.

33. Tout dans la tête

Faites le calcul suivant sans l'aide d'un crayon, d'un papier ni d'une calculette :

La somme initiale est de 1 million.
Divisez-la par 4.
Divisez le résultat par 5.
Divisez le résultat par 2.
Divisez le résultat par 20.
Soustrayez 50.
Divisez par 3.
Puis divisez par 8.
Soustrayez 1.
Divisez le résultat par 7.
Ajoutez 2.
Divisez par 3.
Ajoutez 2.
Et divisez par 5.

Solution p. 107

34. La famille Durand

La famille Durand a cinq enfants. La moitié sont des filles. Comment l'expliquer ?

☆☆☆☆☆

35. Les gueules cassées

Si 70 % de soldats ont perdu un œil lors d'une bataille,
75 % une oreille,
80 % un bras,
et 85 % une jambe,
quel pourcentage minimum ont perdu à la fois un œil, une oreille, un bras et une jambe ?

36. Quatre cartes et quatre lettres

Quatre cartes vous sont présentées. Elles contiennent toutes une lettre de l'alphabet (soit D, soit G, soit P, soit L) sur chacune de leurs faces.

Combien faut-il retourner de cartes pour vérifier la proposition : « Derrière tout G se trouve L » ?

Solution p. 110

☆☆☆☆☆

37. Suite logique

Complétez ce tableau en trouvant la suite des symboles.

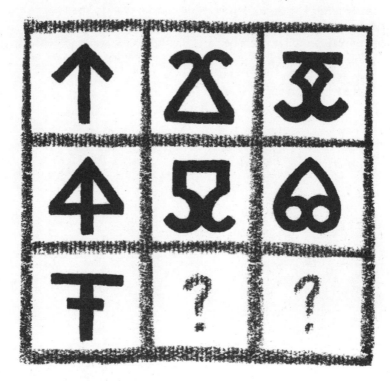

38. L'ours et le chasseur

Un chasseur veut tuer un ours. Il en repère un et veut le prendre par surprise. Afin de le contourner, le chasseur fait 10 km à pied vers le sud, puis 10 km vers l'est et enfin 10 km vers le nord... Et là, surprise, il se trouve nez à nez avec l'ours qui, lui, n'a pas bougé.

Question :
Quelle est la couleur de l'ours ?

Solution p. 112

39. Le chauffeur de taxi

Un chauffeur de taxi s'engage, un peu pressé, dans une ruelle en sens interdit. Il regarde sans broncher le panneau rouge et continue. Mais il est arrêté par un policier. Tous deux discutent un moment et le chauffeur de taxi repart. Comment s'est-il débrouillé ?

☆☆☆☆☆

40. L'énigme de Stanford

Ce problème a été posé lors d'une épreuve de réflexion aux étudiants de Stanford. Trouvez ce que cela peut bien être :

1. C'est mieux que Dieu.
2. C'est pire que le diable.
3. Les pauvres en ont.
4. Les riches en ont besoin.
5. Et si l'on en mange, on meurt.

Solution p. 114

☆☆☆☆☆

41. Les trois interrupteurs

Dans la cave d'une maison se trouvent trois interrupteurs en position « éteint ». Un seul de ces interrupteurs commande l'ampoule située au grenier.

Depuis la cave, comment faire pour savoir quel est l'interrupteur relié au grenier en ne se rendant dans cette pièce qu'une seule fois ?

Précision : on ne peut pas laisser la porte ouverte, on ne peut pas se faire aider de quelqu'un et on n'a aucun moyen de voir le grenier depuis la cave.

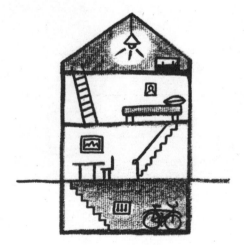

Indice
Il est possible de vérifier autre chose sur l'ampoule que sa luminosité.

Solution p. 115   ☆☆☆☆☆

42. L'aveugle et les chapeaux

Dans une pièce noire se trouvent trois chapeaux noirs et deux blancs.

On fait entrer trois personnes dont la dernière est aveugle.

Chacune prend un chapeau au hasard et, sans le voir, le pose sur sa tête. On retire les deux restants.

On allume la lumière et on demande à chaque personne si elle est capable de deviner la couleur de son chapeau.

La première regarde les deux autres et dit NON.

La deuxième regarde également les deux autres et répond NON.

La troisième, pourtant aveugle, répond OUI.

Comment cette personne aveugle devine-t-elle la couleur de son chapeau ?

☆☆☆☆☆

43. Le menteur, le juste et les deux portes

Vous êtes face à deux portes, l'une donne sur l'enfer et l'autre sur le paradis. Vous ne savez pas laquelle mène au paradis.

Deux personnes se tiennent à côté de ces portes. L'une est un menteur, l'autre dit toujours la vérité.

Vous ne pouvez poser qu'une seule et même question aux deux personnes pour savoir quelle porte ouvrir.

Quelle est cette question ?

Solution p. 117

44. Un verre vide

Combien de gouttes d'eau peut-on mettre dans un verre vide ?

☆☆☆☆☆

45. Les deux verres pleins

On dispose de deux verres 1 et 2, remplis respectivement des liquides A et B. Les volumes sont identiques. On prend une cuillère du liquide A que l'on verse dans le verre 2. Après avoir remué, on verse dans le verre 1 une cuillère du mélange.

Y a-t-il alors plus de B dans le verre 1 ou de A dans le verre 2 ?

Solution p. 119

46. À l'hôtel

Trois hommes vont partager une chambre à 30 euros la nuit. Chacun donne donc 10 euros. Comme la réceptionniste les trouve sympathiques, elle baisse le prix à 25 euros, et leur rend 5 euros.

Mais ils sont trois. Donc elle rend à chacun 1 euro, et eux, sympas à leur tour, lui laissent en pourboire les 2 euros qui restent. Chacun a donc payé 9 euros ($3 \times 9 = 27$), et la réceptionniste a récupéré 2 euros.

$$27 + 2 = 29$$

Où est passé le trentième euro ?

47. Le ver et l'encyclopédie

Une encyclopédie en dix volumes est rangée dans l'ordre sur une planche de bibliothèque. Chaque volume est épais de 4,5 cm pour les feuilles et de deux fois 0,25 cm pour la couverture. Un ver né en page 1 du volume 1 se nourrit en traversant perpendiculairement et en ligne droite la collection complète et meurt à la dernière page du dixième volume.

Quelle distance aura-t-il parcourue pendant son existence ?

☆ ☆ ☆ ☆ ☆

48. Le dépensier

Une personne a dépensé tout ce qu'elle avait en poche dans cinq magasins. Dans chacun, elle a dépensé 10 euros de plus que la moitié de ce qu'elle avait en entrant. Combien avait-elle en poche au départ ?

Solution p. 122   ☆☆☆☆☆

49. Triangle et sommes

Placez deux chiffres entre 4 et 9 sur chaque côté de ce triangle afin que la somme de chaque côté soit égale à 17.
Plusieurs réponses sont possibles !

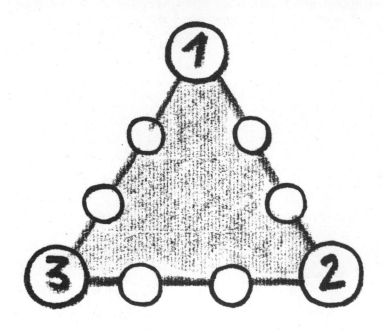

50. Les sacs et la pesée unique

Vous disposez de dix sacs de *n* pièces d'or (*n* > 10) pesant chacune 1 g. Un de ces sacs ne comporte que des fausses pièces qui ont pour caractéristique de peser 2 g. Vous avez en votre possession une balance affichant la masse de ce qui est posé sur son plateau. Comment faire alors pour déterminer, en une seule pesée, le sac qui contient les fausses pièces ?

51. Les œufs des poules

Huit cents poules pondent en moyenne huit cents œufs en huit jours.

Combien d'œufs pondent quatre cents poules en quatre jours ?

☆☆☆☆☆

52. Les cyclistes

Pierre et Paul veulent comparer leur vitesse à bicyclette bien qu'ils ne possèdent qu'un seul engin. Aussi, sur une route bien plate et pavée de bornes kilométriques, Pierre pédale du kilomètre 1 au kilomètre 12 ; Paul étant sur le porte-bagage pour chronométrer. Puis, du kilomètre 12 au kilomètre 24, Paul pédale, Pierre étant à son tour sur le porte-bagage pour chronométrer.

Pierre gagne haut la main. N'aurait-on pas pu prévoir ce résultat ?

Solution p. 126

53. Le jeu à trois

Pierre, Paul et Jacques terminent un jeu qui s'est déroulé en cinq manches. Ils ont joué avec des pièces de 1 euro et n'ont donc eu, au cours de la partie, que des sommes entières.

À chaque manche, le perdant a doublé les avoirs des deux autres. À la fin de la partie, Pierre a 8 euros, Paul 9 et Jacques 10. Combien chacun avait-il d'euros au début ?

☆ ☆ ☆ ☆ ☆

54. Le tournoi de tennis

Un tournoi de tennis entre *n* joueurs est organisé. Le principe est l'élimination directe : un joueur qui a perdu un match ne peut participer à d'autres matchs.

Quel est le nombre de parties jouées (finale comprise) en fonction du nombre de joueurs ?

Solution p. 128

55. La mouche entre les trains

Deux villes distantes de 1 000 km sont reliées par une double voie de chemin de fer. À un moment donné, deux trains roulant à 100 km/h quittent chacune des deux villes en direction de l'autre.

Une mouche dont la vitesse est de 150 km/h commence alors un aller-retour ininterrompu entre ces deux trains. Quelle distance aura parcouru la mouche au moment où les deux trains se croiseront ?

Solution p. 129   ☆☆☆☆☆

56. La Gaule chevelue

Il y a au moins 62 millions d'habitants en France, et aucun ne possède plus de 1 million de cheveux sur la tête. Peut-on être sûr que deux personnes dans le pays ont exactement le même nombre de cheveux ?

57. *La bouteille et le bouchon*

Une bouteille et son bouchon valent 11 euros. La bouteille vaut 10 euros de plus que le bouchon. Combien vaut la bouteille et combien vaut le bouchon ?

Solution p. 131

☆☆☆☆☆

58. Combien de triangles?

Combien y a t-il de triangles dans cette figure ?

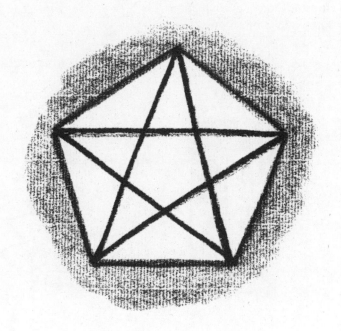

59. Où est le père ?

Une mère a vingt et un ans de plus que son fils. Dans six ans, le fils sera cinq fois plus jeune que sa mère.

Question :

Où se trouve le père ?

60. Le problème des âges

J'ai quatre fois l'âge que vous aviez quand j'avais l'âge que vous avez. J'ai quarante ans, quel âge avez-vous ?

61. Peindre la maison

Hector peint une maison en six jours ; sa collègue Clara, elle, peut faire le même travail en trois jours seulement. Combien de temps faudrait-il pour repeindre cette maison s'ils unissaient leurs forces ?

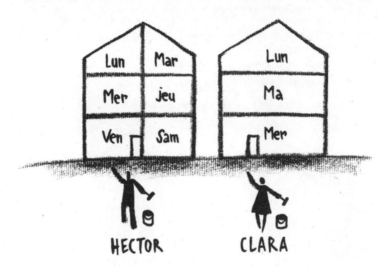

62. L'âge des trois filles

Une personne demande à une autre l'âge de ses trois filles :
« La multiplication de leurs trois âges est égale à 36.
– Je ne peux pas savoir quel est leur âge !
– La somme de leurs trois âges est égale au numéro
de la maison qui est en face de nous. »

L'homme regarde le numéro et continue :
« Je ne vois toujours pas.
– L'aînée est blonde.
– Ah oui, maintenant je sais ! »

Comment a-t-il fait ? Quel est l'âge des trois filles ?

63. Les poulets et les lapins

Pierre élève des poulets et des lapins. Quand il compte les têtes, il en trouve huit. Quand il compte les pattes, il en trouve vingt-huit.

Combien a-t-il de lapin(s) ? et de poulet(s) ?

64. Histoires de famille

Deux pères et deux fils sont assis autour d'une table sur laquelle sont posées quatre oranges. Chacun en prend une. Il reste une orange sur la table.

Comment est-ce possible ?

Trois Russes ont un frère commun. Quand ce frère meurt, les trois Russes n'ont alors plus de frère.

Ici aussi, tout est plausible, et il n'est pas question de demi-frère.

Solution p. 138

☆☆☆☆☆

65. Maison plein sud

Les quatre façades d'une même maison sont exposées plein sud. Comment est-ce possible ?

Solutions

1. Tranches de cake

Deux solutions :

Soit une des trois coupes doit être faite dans le sens de l'épaisseur.

Soit on coupe une première fois le cake en deux puis on superpose les moitiés. On coupe une deuxième fois et on obtient quatre tranches. On superpose une dernière fois les quatre tranches, on coupe et on obtient huit tranches de cake identiques.

2. *Le triangle de Curry*

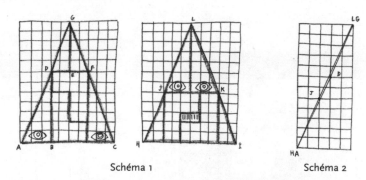

Schéma 1   Schéma 2

En fait, les deux figures ne sont pas des triangles.

Observez, sur la première figure, les trois points A, D et G : ils ne sont pas alignés. En effet, la pente de l'hypoténuse du triangle ADB est différente de celle du triangle DGE : le point D se retrouverait à droite de la droite (AG) s'il nous prenait l'envie de la tracer. Il en est de même pour le point F. De ce fait, la figure ACFGD a une surface inférieure à un triangle ACG imaginaire.

À l'inverse, sur la deuxième figure, et pour les mêmes raisons, les points HJL et IKL ne sont pas alignés : les points J et K sont à l'extérieur d'un triangle HIL.

Du fait que la première figure a une surface inférieure à celle d'un « vrai » triangle et la deuxième une surface supérieure, il est normal d'observer une différence de surface entre les deux.

Sur le dernier schéma, les deux figures ont été superposées : les points A et H d'une part et G et L d'autre part sont confondus. Si les deux figures précédentes étaient des triangles, la surface AJGD aurait une aire nulle.

3. Le carré et l'anneau

Voici une solution envisageable :

4. Le carré en allumettes

Il ne fallait pas prendre carré dans son sens géométrique mais arithmétique :

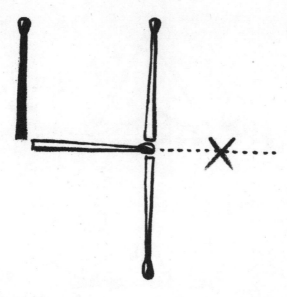

4 est le carré de 2.

5. *Les triangles en allumettes*

On fait une pyramide à base triangulaire (qui a dit que nous devions rester à plat ?).

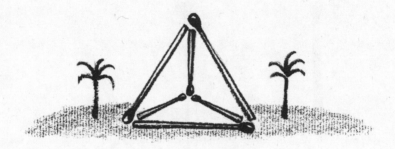

On construit l'étoile de David (qui a dit qu'ils devaient être tous de la même taille ?).

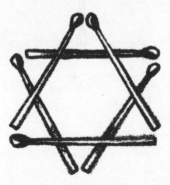

Il est fréquent que l'on ajoute soi-même des contraintes au problème posé...

6. La fourche

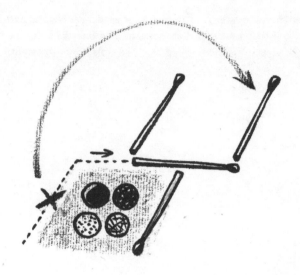

7. Le sage et la montagne

Oui, cet endroit existe. Pour le mettre en évidence, faisons partir deux sages à 9 h tous les deux : l'un partirait d'en bas et l'autre d'en haut. Puisqu'ils sont sur le même chemin, ils se croiseront forcément !

8. Les neuf points

Voici une manière de faire :

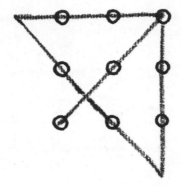

Sortir du cadre formé par les les huit points extérieurs n'était pas interdit : encore une contrainte que vous vous êtes imposé ?

9. *Petit rectangle deviendra carré*

La surface du rectangle est de 2 (l × L = 2 × 1 = 2). Donc le côté du carré doit être de $\sqrt{2}$.

On découpe donc de façon à faire apparaître des segments de droite de longueur égale à $\sqrt{2}$:

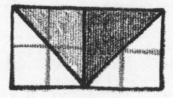

On réarrange comme ceci :

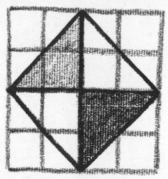

Et le rectangle s'est transformé en carré !

10. Long rectangle deviendra carré

La surface du rectangle est de 5 ($l \times L = 1 \times 5 = 5$). Donc le côté du carré doit être de $\sqrt{5}$.

On découpe donc de façon à faire apparaître des segments de droite de longueur égale à $\sqrt{5}$.

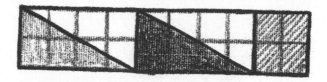

On réarrange comme ceci :

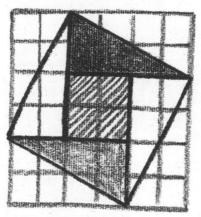

Et le long rectangle s'est transformé en carré !

11. Découpons la moquette

Voici la découpe à effectuer dans la moquette :

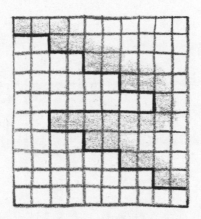

Et voici la pièce ainsi couverte :

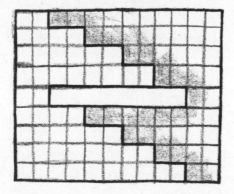

12. L'île et le pont

Voici comment faire :

13. Cerf-volant

Il fallait s'apercevoir que le 1 et le 8 ont un caractère particulier : ils ne sont pas à considérer comme consécutifs, c'est-à-dire que ce sont les deux seuls chiffres à n'avoir qu'un seul voisin interdit (respectivement le 2 et le 7).

En partant de là, on place ces deux chiffres *sympathiques* dans les deux cases du centre (celles qui ont le plus de contacts avec d'autres) ; puis on place le 2 et le 7 dans les seules cases qui puissent les accepter : ce sont les cases latérales, le 2 au contact du 8 et le 7 à côté du 1. Enfin, on place judicieusement les quatre autres chiffres dans les cases inférieures et supérieures.

Une solution possible est la suivante :

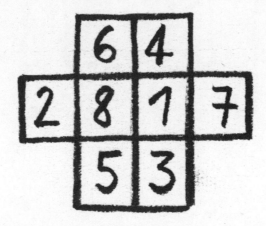

Et voilà, le tour est joué !

14. Triangle à trous

Voici une solution :

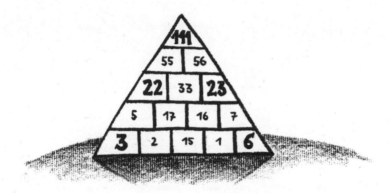

15. Combien de carrés ?

Il y a 30 carrés :
- 16 de taille 1 × 1 ;
- 9 de taille 2 × 2 ;
- 4 de taille 3 × 3 ;
- et 1 de taille 4 × 4.

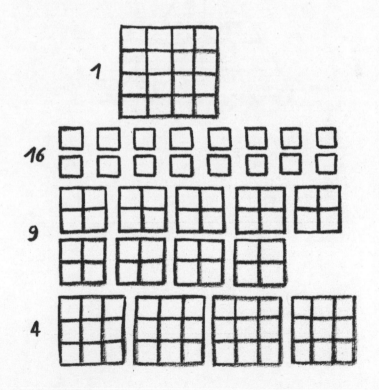

16. Huit reines

Voici une solution :

17. Trouvez la suite

Il suffit d'écrire ce qu'on lit :

1

> Un 1 : 11

11

> Deux 1 : 21

21

> Un 2, un 1 : 1211

1211

> Un 1, un 2, deux 1 : 111221

111221

> Trois 1, deux 2, un 1 : 312211

312211

La ligne suivante est donc :

> Un 3, un 1, deux 2, deux 1 : 13112221

18. Pas de 4 dans la suite

Faisons l'hypothèse qu'un 4 apparaisse sur une ligne.

Ce 4 doit forcément avoir un caractère à sa droite (seul le 1 finit les lignes). Supposons que cela soit un x. La ligne *(II)* comporterait donc quatre x consécutifs :

(I) ....

(II) ....axxxxb....

(III) .... 4x ....

Or on peut décomposer chaque ligne en couples : d'abord un quantifiant (qui définit qu'il y a tant de chiffres x), puis un quantifié (le chiffre x qui se trouvait sur la ligne précédente). On peut donc lire la ligne II de deux façons : soit a est le quantifié (hypothèse 1), soit il est le quantifiant (hypothèse 2).

Premier cas, a est le quantifié ; le découpage en couples se fait ainsi :

(II) ....a xx xx b....

La ligne *(I)* serait donc :

x en x exemplaires puis x en x exemplaires :

(I) .... xxxxxxx xxxxxxx ......

          x fois   x fois

Or cela est impossible car on lirait ainsi la ligne II :

(II) ....a(2x)xb....

Ce qui n'est pas vrai, donc l'hypothèse est fausse.

Second cas, a est le quantifiant ; le découpage en couples se fait ainsi :

(II) ....ax xx xb....

La ligne *(I)* serait donc :

x en a exemplaires puis x en x exemplaires et enfin b en x exemplaires :

(I) .... xxxxxxx xxxxxxx bbbbbbbb ......

       a fois   x fois   x fois

Encore une fois, dans ce cas, la ligne II se lirait :

(II) ....(a + x)x + xb....

Ce qui n'est pas vrai, donc l'hypothèse est fausse.

Conclusion : dans tous les cas, l'hypothèse est fausse. Donc il n'y a pas de 4 dans cette suite de chiffres. On montrerait la même chose pour tout nombre supérieur à 4 ; chaque ligne est donc composée uniquement de 1, de 2 et de 3.

19. La traversée du pont

Tout d'abord, A et B traversent, ce qui prend 2 minutes.
Ensuite, A ramène la torche, nous en sommes à 3 minutes écoulées.
C et D traversent le pont, le chronomètre indique 13 minutes.
B ramène la torche, nous en sommes à 15 minutes.
A et B traversent le pont, et 17 minutes se sont écoulées depuis le départ.

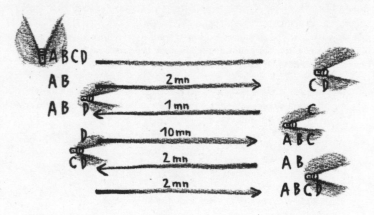

20. Les onze allumettes

La solution est deux. Voici le scénario :
Nadine prend deux allumettes. Paul peut prendre une, deux ou trois allumette(s). Dans ces différents cas de figure, Nadine prendra trois, deux ou une allumette(s), ramassant ainsi la sixième allumette (il en reste alors cinq sur la table). Dès lors, quelle que soit la prise de Paul (une, deux ou trois), Nadine ramassera trois, deux ou une allumette(s), laissant ainsi la dernière allumette à Paul.

21. L'escargot grimpeur

Il atteint le haut du mur au soir du huitième jour :

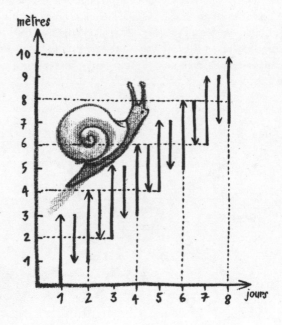

22. $1 = 2$?

L'erreur se situe au niveau du passage de la ligne 6 à la ligne 7. On divise par $(a - b)$... ce qui vaut 0. La division par 0 est bien sûr interdite.

23. Deux écritures pour un même nombre ?

La réponse à la question est oui ! Il est vrai que $1 = 0,99999999999999...$
Et le calcul en était la démonstration rigoureuse.

Remarque : pour le passage de la ligne 3 à la ligne 4, il faut savoir que l'infini -1, c'est encore l'infini.

Autre démonstration (mais moins belle) :

$1 = 3 \times (1/3) = 3 \times 0,333333... = 0,999999...$

24. Tout nombre réel est-il positif ?

L'erreur se trouve au niveau du passage de la ligne 2 à la ligne 3. La propriété citée n'est vraie que si x est positif ou nul.

25. Un peu de calcul mental

$2 + 2 - 2 - 2 = 0$
$(2 : 2) \times (2 : 2) = 1$
$(2 : 2) + (2 : 2) = 2$
$(2 + 2 + 2) : 2 = 3$
$2 + 2 + 2 - 2 = 4$
$2 + 2 + (2 : 2) = 5$
$(2 \times 2 \times 2) - 2 = 6$
$(2 \times 2 \times 2) + 2 = 10$
$(2 + 2 + 2) \times 2 = 12$

$(3 + 3 + 3) : 3 = 3$
$((3 \times 3) + 3) : 3 = 4$
$3 + 3 - (3 : 3) = 5$
$3 + 3 + 3 - 3 = 6$
$3 + 3 + (3 : 3) = 7$
$(3 \times 3) - (3 : 3) = 8$
$(3 \times 3) + 3 - 3 = 9$
$(3 \times 3) + (3 : 3) = 10$

$((4 \times 4) - 4) : 4 = 3$
$((4 + 4) : 4) + 4 = 6$
$4 + 4 - (4 : 4) = 7$
$(4 \times 4) - 4 - 4 = 8$
$(4 \times 4) + 4 + 4 = 24$
$((4 + 4) \times 4) - 4 = 28$
$(4 \times 4) + (4 \times 4) = 32$
$(4 + 4 + 4) \times 4 = 48$

$(5 + 5 + 5) : 5 = 3$
$((5 - 5) \times 5) + 5 = 5$
$((5 \times 5) + 5) : 5 = 6$
$(5 \times 5) + (5 : 5) = 26$
$(5 + (5 : 5)) \times 5 = 30$
$(5 \times 5) + (5 \times 5) = 50$
$((5 + 5) \times 5) + 5 = 55$
$(5 \times 5 \times 5) - 5 = 120$

$$((6 \times 6) - 6) : 6 = 5$$
$$6 + (6 \times (6 - 6)) = 6$$
$$6 + ((6 + 6) : 6) = 8$$
$$(6 \times 6) - 6 - 6 = 24$$
$$(6 - (6 : 6)) \times 6 = 30$$
$$(6 \times 6) + 6 + 6 = 48$$
$$((6 + 6) \times 6) - 6 = 66$$
$$((6 \times 6) - 6) \times 6 = 180$$

$$(7 + 7 + 7) : 7 = 3$$
$$((7 \times 7) + 7) : 7 = 8$$
$$7 + 7 - (7 : 7) = 13$$
$$(7 : 7) + 7 + 7 = 15$$
$$(7 \times 7) - (7 : 7) = 48$$
$$(7 \times 7) + 7 - 7 = 49$$
$$(7 + (7 : 7)) \times 7 = 56$$
$$((7 + 7) \times 7) + 7 = 105$$

$$((8 + 8) : 8) + 8 = 10$$
$$8 + 8 - (8 : 8) = 15$$
$$(8 - (8 : 8)) \times 8 = 56$$
$$(8 \times 8) + (8 : 8) = 65$$
$$(8 \times 8) + 8 + 8 = 80$$
$$((8 + 8) \times 8) - 8 = 120$$
$$(8 + 8 + 8) \times 8 = 192$$
$$(8 \times 8 \times 8) + 8 = 520$$

$$9 - ((9 + 9) : 9) = 7$$
$$9 - ((9 - 9) \times 9) = 9$$
$$(9 \times 9 + 9) : 9 = 10$$
$$(9 : 9) + 9 + 9 = 19$$
$$(9 \times 9) - (9 : 9) = 80$$
$$(9 \times 9) + 9 - 9 = 81$$
$$(9 + (9 : 9)) \times 9 = 90$$
$$(9 \times 9 \times 9) - 9 = 720$$

26. Somme de 1 à 100

On peut remarquer que
1 + 100 = 101
2 + 99 = 101,
Etc.

Donc la somme vaut :
50 x 101 = 5 050
Vu autrement :
$1 + 2 + 3 + ... + (n - 1) + n = n (n + 1) : 2$
avec n = 100
$1 + 2 + 3 + ... + 100 = 100 \times 101 : 2 = 5\ 050$

27. Valeur du produit

La suite est égale à 0 car (x − x) vaut 0.

28. Équation en chiffres romains (1)

Il faut la lire à l'envers :

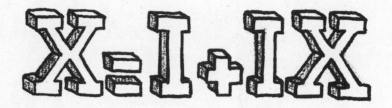

29. Équation en chiffres romains (2)

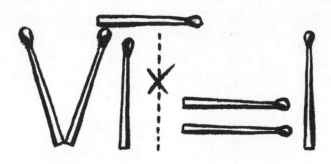

(La racine carré de 1 vaut 1.)

30. Équation en chiffres arabes

5 4 5 + 5 = 550
Le « + » devient 4.

31. Drôle d'égalité

À n'importe quelle époque : 31 en octal (c'est-à-dire en base 8) vaut toujours 25 en décimal (c'est-à-dire en base 10).

Base 10	Base 8
1 => 1
2 => 2
3 => 3
4 => 4
5 => 5
6 => 6
7 => 7
8 => 10
9 => 11
10 => 12
11 => 13
12 => 14
13 => 15

Base 10	Base 8
14 => 16
15 => 17
16 => 20
17 => 21
18 => 22
19 => 23
20 => 24
21 => 25
22 => 26
23 => 27
24 => 30
25 => 31
...

32. Faire 24 avec 5, 5, 5 et 1

$1 : 5 = 0,2$
$5 - 0,2 = 4,8$
$4,8 \times 5 = 24$

Qui a dit que les nombres devaient rester entiers ? Encore une fois, on constate que l'esprit humain ajoute naturellement des contraintes aux problèmes auxquels il s'attaque...

33. Tout dans la tête

La réponse est 1.

34. La famille Durand

L'autre moitié des enfants sont aussi des filles !

35. Les gueules cassées

30 % ont leurs deux yeux,

25 % leurs deux oreilles,

20 % leurs deux bras,

et 15 % leurs deux jambes.

Donc 90 % au moins ne cumulent pas les quatre handicaps. Ce qui fait 10 % au minimum à qui il manque à la fois un œil, une oreille, un bras et une jambe.

36. Quatre cartes et quatre lettres

Il faut en retourner trois.

Trois cas différents :

- La carte G

    Il faut la retourner pour vérifier qu'un L est placé derrière.

- La carte L

    Il ne sert à rien de la retourner. Que la lettre qui est placée derrière cette carte soit un G ou non ne change rien à l'affaire.

- Les deux cartes D et P

    Il faut les retourner. En effet, si une de ces cartes a un G sur sa seconde face, la proposition est fausse.

37. Suite logique

On remarque que les premières cases sont occupées par les chiffres de 1 à 7 accolés à leur symétrique horizontal. Les symboles manquants sont donc :

38. L'ours et le chasseur

L'ours est blanc.

En effet, un tel phénomène n'est possible qu'aux endroits suivants :

1. Exactement au pôle Nord.

Les 10 km vers l'est ne sont pas en ligne
droite : c'est un arc de cercle autour
du pôle en restant à 10 km du pôle
(à chaque instant, on va vers l'est).
L'ours est un ours polaire, donc il est
blanc.

2. Imaginons une latitude où il est possible de faire le tour de la
terre en 10 km. Cela existe près du pôle Sud et près du pôle
Nord.

Près du pôle Nord, il est à moins de 10 km du pôle, il n'est
donc pas possible d'y arriver après avoir fait 10 km vers le sud.
Prenons donc le côté pôle Sud.

On considère un cercle, parallèle à l'équateur (c'est-à-dire un
parallèle), de circonférence de 10 km, et qui fait le tour de la
Terre à cet endroit précis.

Partons d'un point situé à 10 km au nord de ce cercle. Faisons
10 km au sud (nous nous retrouvons sur ce cercle), 10 km à
l'est (nous faisons le tour de la Terre et nous revenons à la position précédente), puis 10 km au nord (nous nous retrouvons au
point de départ).

La seconde solution est donc : tous les
points situés sur le parallèle qui se trouve à
10 km au nord d'un deuxième parallèle de
10 km de circonférence dans l'hémisphère
Sud.

L'ours est blanc aussi.

39. Le chauffeur de taxi

Il est à pied !

40. L'énigme de Stanford

La réponse est « rien ».

  Rien n'est mieux que Dieu.

  Rien n'est pire que le diable.

  Les pauvres n'ont rien.

  Les riches n'ont besoin de rien.

  Et si l'on ne mange rien, on meurt.

41. Les trois interrupteurs

- Allumer l'interrupteur 1 et attendre 2 minutes ; l'éteindre.
- Allumer l'interrupteur 2 et monter au grenier :
  - si l'ampoule est allumée, c'est l'interrupteur n° 2,
  - si l'ampoule est éteinte mais chaude, c'est le n° 1,
  - si l'ampoule est éteinte et froide, c'est le n° 3.

42. L'aveugle et les chapeaux

Soient A, B et C, les trois personnes.

Cas n° 1 :

Impossible car A aurait répondu OUI en voyant deux chapeaux blancs, le sien ne pouvait être que noir.

Cas n° 2 :

Impossible car B aurait répondu OUI en voyant deux chapeaux blancs, le sien ne pouvait être que noir.

Cas n° 3 :

Impossible car B aurait répondu OUI, tenant compte de la réponse de A dans le cas n° 1, son chapeau ne pouvait être que noir.

Cas n° 4 :

Cas possible

Cas n° 5 :

Cas possible

Cas n° 6 :

Cas possible

Cas n° 7 :

Cas possible

Conclusion : dans les quatre derniers cas possibles, le chapeau de C ne peut être que noir et l'aveugle répond OUI.

43. Le menteur, le juste et les deux portes

Il faut demander : « Quelle porte me désignera l'autre personne si je lui demande quelle est la porte du paradis ? »

Si vous posez cette question à la personne honnête, elle désignera la porte de l'enfer (en effet, c'est celle que le menteur aurait montrée). Si vous la posez au menteur, il désignera aussi la porte de l'enfer (en effet, la personne honnête aurait montré la porte du paradis, donc le menteur montrera l'autre).

Il suffit donc de prendre la porte qu'aucun n'aura désignée.

44. *Un verre vide*

Une seule car ensuite le verre n'est plus vide.

45. Les deux verres pleins

En fait, les concentrations sont identiques. Puisque les volumes finaux sont égaux, tout volume de B trouvé dans 1 doit correspondre à un volume identique de A déversé dans 2.

On peut faire une démonstration plus précise.

Soit Z le volume d'un verre. Au début, les verres sont ainsi :

Le verre 1 contient Z unités de liquide A et 0 unité de liquide B.
Le verre 2 contient 0 unité de liquide A et Z unités de liquide B.

Soit X le volume de la cuillère. En la plongeant dans le verre 1, on prend donc X unités de liquide A et 0 unité de liquide B. On peut représenter ce mouvement par la flèche suivante :

À la suite de ce mouvement, les volumes se répartissent ainsi :
Dans le verre 1 : $Z-X$ unités de liquide A et 0 unité de liquide B.
Dans le verre 2 : X unités de liquide A et Z unités de liquide B.

Vient ensuite la seconde cuillerée. Le volume total pris est encore de X unités. Appelons Y le volume de liquide A dans cette cuillère. Donc cette dernière contient Y unité de liquide A et $X-Y$ unités de liquide B.

À la suite de ce dernier mouvement, les volumes se répartissent ainsi :
Dans le verre 1 : $Z-X+Y$ unités de liquide A et $X-Y$ unités de liquide B.
Dans le verre 2 : $X-Y$ unités de liquide A et $Z-(X-Y)=Z-X+Y$ unités de liquide B.

La quantité de A dans le verre 1 est donc égale à celle de B dans le verre 2, et inversement.

46. À l'hôtel

Le problème est dans la somme de fin : 27 + 2 = 29
À la fin des échanges, la répartition est la suivante :
- Hôtel : 27 euros dont :
  - Patron de l'hôtel : 25 euros
  - Réceptionniste : 2 euros
- Homme 1 : 1 euro
- Homme 2 : 1 euro
- Homme 3 : 1 euro

Rien n'est perdu.
Les 2 euros de la somme 27 + 2 = 29 font déjà partie des 27.
27 (dont 2 *[récept.]* + 25 *[patron]*) + 3 *[clients]* = 30 *[total]*
ou encore :
30 *[total]* − 3 *[clients]* − 2 *[récept.]* = 25 *[patron]*

Tout va bien !

47. Le ver et l'encyclopédie

Réponse : 40,5 cm et non pas 49,5 cm.

En effet, la première page du volume 1 et la dernière du volume 10 ne sont pas aux extrémités de la collection. Si vous avez du mal à visualiser, prenez un livre en ayant repéré l'emplacement de la première page, et rangez-le dans votre bibliothèque, vous verrez !

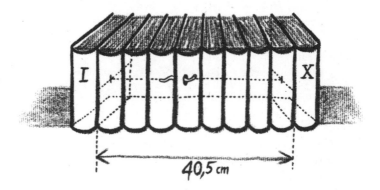

48. Le dépensier

Posons :

x = ce qu'elle a en entrant dans un magasin

y = ce qu'elle a en sortant du même magasin

Ce qu'elle a dépensé (x − y) dans le magasin est donc x : 2 + 10

On peut écrire :

x − y = (x : 2 + 10)

x − x : 2 − 10 = y

x : 2 − 10 = y

x : 2 = y + 10

x = 2 × (y + 10)

Cette équation pourra être appliquée pour chaque magasin.

Après le dernier magasin, il ne lui reste plus rien ; on peut donc poser
y = 0 :

2 × (0 + 10) = 20

Elle avait donc 20 euros en entrant dans le dernier magasin.

Même calcul pour les précédents :

2 × (20 + 10) = 60

2 × (60 + 10) = 140

2 × (140 + 10) = 300

2 × (300 + 10) = 620

Elle avait donc 620 euros au départ.

49. Triangle et sommes

Sur le côté 1-2, il manque 14 que l'on peut obtenir sous la forme de 5 + 9 ou 6 + 8.

Sur le côté 2-3, il manque 12 que l'on peut obtenir sous la forme de 4 + 8 ou 5 + 7.

Sur le côté 1-3, il manque 13 que l'on peut obtenir sous la forme de 4 + 9, 5 + 8 ou 6 + 7.

Laissons le côté 1-3 pour le moment car c'est lui qui offre le plus de combinaisons.

Solution 1 :
côté 1-2 : 6 + 8
côté 2-3 : 5 + 7
côté 1-3 : 6 + 7

Solution 2 :
côté 1-2 : 5 + 9
côté 2-3 : 4 + 8
côté 1-3 : 6 + 7

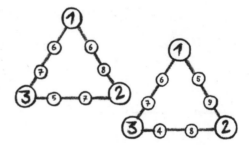

50. Les sacs et la pesée unique

On pose sur le plateau :
une pièce du sac 1,
deux pièces du sac 2,
trois pièces du sac 3,
...
dix pièces du sac 10.
Si toutes les pièces étaient bonnes, le total ferait 55 g.
S'il fait 56 g : c'est le sac 1.
S'il fait 57 g : c'est le sac 2.
S'il fait 58 g : c'est le sac 3.
...
S'il fait 66 g : c'est le sac 10.

51. Les œufs des poules

Deux cents œufs : en effet, quatre cents poules pondent quatre cents œufs en huit jours. Donc quatre cents poules pondent deux cents œufs en quatre jours.

52. *Les cyclistes*

Du kilomètre 1 au kilomètre 12, il y a 11 km. Du kilomètre 12 au kilomètre 24, il y a 12 km. Pierre a donc fait un trajet plus court.

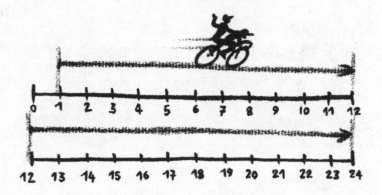

53. Le jeu à trois

Comme 9 est impair, seul Paul a pu perdre la dernière partie. Avant celle-ci, leurs avoirs étaient :
4 / 18 / 5 (manche n° 5).

Même méthode pour les tours précédents :
Jacques a perdu la manche n° 4 et chacun avait en poche au début :
2 euros (Pierre), 9 euros (Paul) et 16 euros (Jacques).
Paul a perdu la manche n° 3 et chacun avait en poche au début :
1 euro (Pierre), 18 euros (Paul) et 8 euros (Jacques).
Pierre a perdu la manche n° 2 et chacun avait en poche au début :
14 euros (Pierre), 9 euros (Paul) et 4 euros (Jacques).
Paul a perdu la manche n° 1 et chacun avait en poche au début :
7 euros (Pierre), 18 euros (Paul) et 2 euros (Jacques).

54. Le tournoi de tennis

Comme chaque match élimine un joueur et qu'il n'en reste qu'un, le nombre de parties est $n - 1$.

55. La mouche entre les trains

Les trains se croiseront après 5 heures. La mouche aura donc volé
5 × 150 = 750 km.

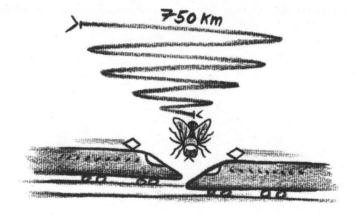

56. La Gaule chevelue

La réponse est oui. Si le nombre d'habitants est supérieur au nombre maximum de cheveux sur n'importe quelle tête, alors il y a forcément un nombre insuffisant de « cheveux sur la tête » pour que tous soient pourvus différemment. Certains Français auront obligatoirement le même nombre de cheveux sur la tête.

57. La bouteille et le bouchon

Le bouchon vaut 0,50 euro, et la bouteille 10,50 euros.

58. Combien de triangles ?

Il y a deux types de segments de droite : ceux du pentagone et ceux de l'étoile.

Commençons par considérer les triangles ayant un côté commun avec le pentagone. Pour un côté donné NM, on peut faire six triangles (points A, B, C, D, E et F).

Si on applique cette constatation aux cinq côtés par rotation, on se rend compte que certains triangles sont en double : ceux qui ont deux côtés de commun avec le pentagone. Si on ne considère pas le triangle qui passe au point F (triangle NMF), il n'y a pas de triangle en double. Il y a donc cinq triangles par côté du pentagone : vingt-cinq triangles sont ainsi répertoriés.

Nous avons traité tous les cas de triangle ayant au moins un côté de commun avec le pentagone. Les autres triangles auront uniquement des côtés sur l'étoile.

Considérons le segment AN. En dehors des triangles ayant des côtés en commun avec le pentagone, on peut repérer les triangles CDM et ANG. Ce sont les seuls triangles possibles sans côté commun avec le pentagone.

Ces triangles se retrouvent en cinq exemplaires par rotation.
Nous avons donc dix triangles ici.

Au total, nous avons trente-cinq triangles.

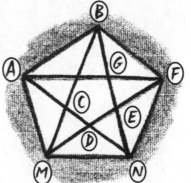

59. Où est le père ?

Soit x l'âge en années du fils et soit y l'âge en années de la mère.
Une mère a vingt et un ans de plus que son fils.
On peut alors poser : x + 21 = y
Dans 6 ans, son fils sera cinq fois plus jeune que sa mère.
On peut alors poser : 5 × (x + 6) = y + 6
De cette équation on tire :
5x + 30 = y + 6
y = 5x + 24
On remplace y dans la première équation :
x + 21 = 5x + 24
− 3 = 4x
x = − 3 : 4 an
x = − 9 mois

Le père est donc *tout près* de la mère !

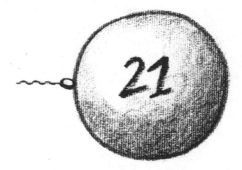

Tout près !

60. Le problème des âges

État des lieux :

Âge	Avant	Maintenant
Moi	x	40
Vous	y	z

Que peut-on dire ?

- 40 = 4 × y car « j'ai quatre fois l'âge que vous aviez »
  donc : y = 10

Âge	Avant	Maintenant
Moi	x	40
Vous	y	z

- z = x   car « j'avais l'âge que vous avez »

Âge	Avant	Maintenant
Moi	x	40
Vous	y	z

- L'écart entre les âges est le même quelle que soit l'époque, donc :

  x − 40 = 10 − x

  2 × x = 50

  x = 25

Vous avez donc vingt-cinq ans...

61. Peindre la maison

Deux jours : Hector peint un tiers de la maison et Clara peint les deux tiers restants.

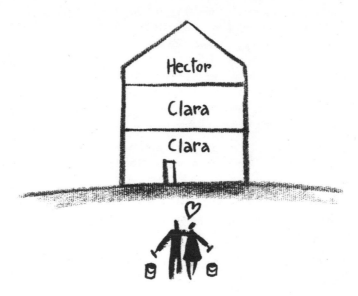

62. L'âge des trois filles

Voici les facteurs premiers de 36 : $3 \times 3 \times 2 \times 2$.

Donc les combinaisons envisageables sont :
- 36, 1, 1 => dont la somme est égale à 38.
- 18, 2, 1 => dont la somme est égale à 21.
- 12, 3, 1 => dont la somme est égale à 16.
- 9, 4, 1 => dont la somme est égale à 14.
- 9, 2, 2 => dont la somme est égale à 13.
- 6, 6, 1 => dont la somme est égale à 13.
- 6, 3, 2 => dont la somme est égale à 11.
- 4, 3, 3 => dont la somme est égale à 10.

Contrairement à nous, l'homme connaît le numéro de la maison d'en face. Par exemple, si ce numéro était 38 ou 11, il annoncerait tout de suite la solution ; s'il ne la trouve pas, c'est qu'il est sur le seul cas litigieux : 13. Donc les âges sont soit (6, 6, 1) soit (9, 2, 2).

Parmi ces deux configurations, seule (9, 2, 2) comporte une seule aînée, l'autre comportant des jumelles aînées. Les filles ont donc neuf ans pour l'aînée et deux ans pour les jumelles.

63. Les poulets et les lapins

Soit x le nombre de poulets et y le nombre de lapins.

Le nombre de têtes est donc x + y et vaut 8.
Le nombre de pattes est donc 2x + 4y et vaut 28.

Posons :
(1) x + y = 8
(2) 2x + 4y = 28

L'égalité (1) nous donne : x = 8 − y (3)
En remplaçant x par cette valeur dans (2), nous obtenons :
2(8 − y) + 4y = 28
16 − 2y + 4y = 28
2y = 12
y = 6

De l'égalité (3), nous obtenons :
x = 2

Pierre a donc deux poulets et six lapins.

64. Histoires de famille

Il y a effectivement trois personnes à table : le fils, le père et le grand-père (le père jouant à la fois le rôle du père et du fils !).

Les trois Russes sont... des femmes !

65. Maison plein sud

La maison se situe au pôle Nord !

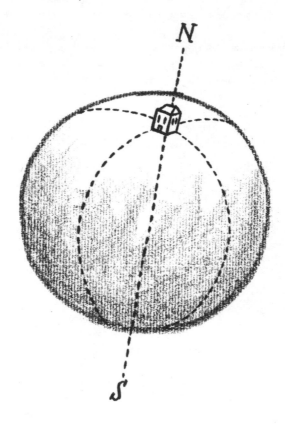

L'auteur

Auteur d'articles en presse spécialisée, Sylvain Lhullier est architecte de logiciels libres en entreprise. Membre actif d'associations de promotion des logiciels libres, il enseigne en universités et écoles d'ingénieurs.

Pris de passion pour les énigmes logiques et mathématiques, il conçoit et réalise depuis plus de dix ans le site « *Le Bric-à-brac de Sylvain* » dans lequel il propose une riche rubrique « *Énigmes et problèmes* ».

Le Bric-à-brac de Sylvain :
http://www.bric-a-brac.org/

Bric-à-brac d'énigmes et de problèmes :
http://www.bric-a-brac.org/enigmes/

L'illustrateur

ivansigg@free.fr

IMPRIMÉ EN FRANCE PAR HÉRISSEY
N° d'impression : 103214

pour le compte des
Nouvelles Éditions Marabout
D.L. n° 80593 - novembre 2006
ISBN : 978-2-501-04957-3
40.9890.1/03